Collection Poésie
dirigée par André Brochu

DU MÊME AUTEUR

Les masques du récit, essai, HMH, coll. Cahiers du Québec, 1980.

L'imaginaire captif, essai, Les Quinze, éditeur, coll. Prose exace, 1981.

Profil de l'ombre, poésie, Les Écrits des Forges, coll. Les Rouges-gorges, 1983.

Comme des mannequins, Primeur, coll. L'Échiquier, 1983.

L'été Rebecca, roman, Seuil, 1985.

Une encre sépia, poésie, l'Hexagone, 1990.

RENÉ LAPIERRE

Effacement

poèmes

l'HEXAGONE

Données de catalogage avant publication (Canada)
Lapierre, René
Effacement
(Collection Poésie)
Poèmes.
ISBN 2-89006-429-B
I. Titre.
PS8573.A631E33 1991 C841'.54 C91-096922-1
PS9573.A631E33 1991
PQ3919.2.L36E33 1991

Éditions de l'Hexagone
1000, rue Amherst, bureau 102
Montréal (Québec)
H2L 3K5
Téléphone: (514) 523-1182
Télécopieur: (514) 282-7530

Maquette de couverture: Katherine Sapon
Conception graphique: Manon Goulet

Distribution: Diffusion Dimédia
539, boulevard Lebeau
Saint-Laurent (Québec)
H4N 1S2
Tél.: (514) 336-3941; télex: 05-827543

Dépôt légal: 4e trimestre 1991
Bibliothèque nationale du Québec
Bibliothèque nationale du Canada

ISBN 2-89006-429-8

Cendres

La Chrysler quitta le port et fila plein nord à travers les rues désertes de Buffalo. Elle s'arrêta après bien des détours au coin de Walden et Harmonia, derrière un vaste édifice de briques abandonné. Harry descendit et alla ouvrir une porte de fer, reliée à la ruelle par un escalier de trois marches.

— Entrée des artistes, siffla Louie en poussant Spencer de son arme; descends et marche droit, on te regarde.

L'homme obéit et s'avança en direction de la porte où l'attendait Harry; il avait le souffle court, tremblant de se trouver soudain dehors sous le ciel cuivre. Allaient-ils vraiment l'abattre? Il pensa une seconde à Paula, vit une autre fois dans l'ombre la silhouette de Harry qui l'attendait. Le gros homme l'empoigna rudement et le fit entrer dans un réduit poussiéreux où il lui indiqua une chaise, poussée contre le mur du fond. Puis il sortit et le laissa là, dans la lumière sale qui tombait d'une minuscule ampoule. Juste à gauche de la chaise se trouvait une autre porte, sur laquelle s'étalait le mot *LADIES* suivi d'une inscription obscène. Négligence? Piège? Le prisonnier ouvrit doucement la vieille porte qui émit un petit grincement. Derrière, ses doigts heurtèrent une rugueuse surface de béton: l'issue avait été murée.

Marcie était revenue après le déjeuner, vêtue à la cow-girl d'une courte jupe à franges et d'un chemisier noué au-dessus du nombril. Ce déguisement ne lui plaisait guère, mais Ernesto l'obligeait à le porter quand même: on n'avait pas idée, expliqua-t-il, du nombre de pourboires qui pouvaient se glisser là-dedans en une seule journée.

— Ouais, approuva lubriquement Porter.

Ernesto était content. Il adorait parler affaires.

— Normal, non? Loin de la mer les gens veulent des décors de plage: des algues, des filets, tout le bazar. Alors qu'ici, à Vero Beach…

— Ici on s'emmerde, dit Porter en faisant volte-face. Dis-lui d'apporter de la bière.

Dans le coin, au fond, un touriste rougeaud s'éventait avec un carton des Greyhound Tracks.

— Parle plus bas, supplia Ernesto.

L'autre parut comprendre et s'avança jusqu'à frôler le visage foncé du Mexicain.

— Je veux la fille, chuchota-t-il d'un air sournois.

— Qui perd gagne, annonça tristement Ernesto en sortant un jeu de cartes.

Dundas prit une grande gorgée de whisky, et se mit à la mâchonner méthodiquement comme s'il s'agissait d'un rince-bouche. (Un porc. Phyllis devait avoir raison, se désola Harold.) Dundas avala finalement son antiseptique et râla en tendant de nouveau son verre:

— Vous avez une petite idée de la facture, au moins?

Son hôte lui passa la bouteille et attendit qu'il se servît. Quand ce fut fait:

— Dunning ne pourra pas rechigner, observa-t-il, si nous offrons vingt-deux dollars l'action. Combien payait Tagger?

Nouvelle séance d'hygiène buccale. Dundas regardait tristement son verre; il paraissait contrarié.

— Mais qu'est-ce que vous mettez dans ce whisky? bougonna-t-il enfin; du peroxyde?

À l'hôtel Biltmore, où habitait le vieux Lucas Kenner, l'ordinaire ne variait jamais. Levé tous les matins avant sept heures, Lucas prenait d'abord une douche; puis il déjeunait en compagnie de sa secrétaire, qui lui donnait les nouvelles de la Bourse et lui lisait le courrier. À neuf heures précises il partait pour le bureau, dont il ne revenait qu'en fin de soirée.

Le portier de l'hôtel fut donc très surpris de le voir rentrer ce lundi-là pour le dîner; Lucas monta aussitôt chez lui en demandant qu'on serve le repas dans le petit salon. Il recevait.

Julie se présenta à l'heure convenue, vêtue d'un tailleur blanc très simple et d'un chapeau à large bord, blanc également. Lucas l'accueillit nerveusement et l'entraîna tout de suite au salon où il se mit à l'assiéger de minauderies et de petits compliments séniles. Elle n'était pas venue pour perdre son temps, elle le lui rappela très vite. Lucas, pris de court, se rajusta et lui offrit à boire.

— Rye? Cinzano? Vermouth? énuméra-t-il.

— Je ne savais pas que ces trucs-là se buvaient; maman les utilisait pour astiquer les boutons de porte.

— Je vois, fit Lucas.

— Vous ne voyez rien du tout, vos vieilles lunettes sont embuées. Si vous voulez me sauter commençons donc tout de suite, autrement nous y serons encore demain matin.

Lucas se redressa d'un bloc, complètement effaré. Elle lui sourit.

— Quand est-ce qu'on mange? demanda-t-elle en se radoucissant.

Jill ne disait rien, se contentant de faire tourner au fond de son verre la cerise du collins. On servit bientôt, sur une vingtaine de tables surmontées de parasols blancs, les premiers plats: potage Yang-Tze, petits légumes au citron, beignets de crevettes et canard. Les jardins embaumaient les épices; les bruits de la ville, filtrés par la vapeur qui flottait, parvenaient assourdis sur le toit de l'hôtel. Les lanternes en papier oscillaient dans la brise du soir, faisant hésiter sur les visages des ombres colorées.

— Quelle belle nuit, soupira Damian.

Jill, avec une petite moue dégoûtée, commanda un autre Collins.

L'auto roulait dans une brume épaisse. Devant les phares des pans de brouillard s'effilochaient lentement, gorgés de sel et de varech; la mer n'était plus loin.

Bernard baissa la vitre pour respirer un peu d'air frais. En vain: autant plonger la tête dans un aquarium. Georges lui demanda du feu; l'autre, hébété, tourna vers lui un regard creux. Son torse était luisant de sueur, le blanc laiteux des bourrelets débordait la ceinture de son pantalon. Derrière, couchée sur la banquette, Anna se mit à rire nerveusement.

Au même moment, sur le tableau de bord, un voyant rouge se mit à clignoter: *oil*. Georges se tourna vers la fille.

— Idiote, murmura-t-il.

La voiture se rangea sur l'accotement.

— Maman rêvait d'un mariage d'amour, gémit Karine; tandis que moi...

Elle s'emmitoufla d'un air blasé dans sa serviette de plage, en habituée des chinchillas et des ocelots.

Donald revint avec le champagne et les coupes qu'il posa sur une table. Il était si gras, malgré ses vingt-deux ans, que l'élastique de son maillot de bain s'enfonçait profondément dans la chair molle des cuisses et du dos. Il s'affaira, renfrogné, à ouvrir la bouteille, puis il entreprit de remplir les coupes. Lorsque chacun fut servi:

— Santé, dit Alys.

— Santé! firent en chœur tous les autres, excepté Karine qui embrassait sa coupe du bout des lèvres, l'air ennuyé.

— Santé mon amour, haleta encore le gros Donald qui la regardait avec des yeux fous.

Dundas vida son verre et le déposa sur le tapis chinois, à droite de son fauteuil. Une goutte d'alcool brillait dans sa moustache jaunie par le tabac.

— Ma bonne tante, grogna-t-il, souffrait sur ses vieux jours d'une affection futile pour les miséreux. (Il secoua la tête pour chasser, tel un moustique, cette triste vision.) Vous n'en seriez pas là, par hasard?

Harold se raidit et ramassa sèchement le magazine qu'il avait abandonné tantôt.

— N'en parlons plus, jeta-t-il d'un ton froid.

L'autre se mit à regarder avec insistance les chaussures d'Harold.

— Votre lacet est dénoué, dit-il en se levant. Je vous rappellerai demain matin.

Il tendit une main molle et sortit.

«Humour écossais», soupira derrière lui Harold.

Il haussa les épaules et sortit à son tour, en oubliant de renouer son lacet.

Porter accéléra encore. Sous l'effet de la vitesse la perspective de la rue s'effila, aussi cassante qu'un élastique trop tendu; tout au bout, dans une voie transversale, une voiture de police apparut et s'immobilisa en plein milieu de la chaussée. Porter fonça sur sa gauche, dans des ballots qu'on était en train d'empiler sur le trottoir. Des coups de feu claquèrent, qui n'atteignirent pas leur cible; les ballots volèrent dans tous les sens et la Chrysler déboucha dans l'avenue Peck, au milieu des autobus et des taxis.

Porter remit les gaz et relança l'auto, à la sortie d'un virage, en direction de Sloane et Market. Déportée par son poids la Chrysler faillit déraper, heurta une voiturette de légumes dont le contenu s'éparpilla sur le ciment, puis s'engagea dans Eden Post qui descendait jusqu'à Briscœ le long du chemin de fer. La voie était libre, à l'exception d'un fardier qui reculait vers un débarcadère de la Reading. Bradley, assis à l'arrière, se renfonça dans la banquette en étranglant un cri de souris. La longue remorque n'était plus qu'à quinze mètres, immobilisée contre un talus de mâchefer. Porter, arc-bouté derrière le volant, poussa l'accélérateur à fond.

Le choc fut terrible; les phares volèrent en éclats au milieu des cris et des grincements de tôle forcée. Les poutrelles se tordirent, des fragments du pare-brise allumèrent des étincelles blanches sur la chaussée. Finalement le toit s'arracha complètement et le bolide bondit de l'autre côté, un lambeau de tôle coupante saluant à l'arrière les témoins ébahis.

Les obsèques du pauvre Constantin furent célébrées deux jours plus tard — le quinze juillet — à la cathédrale de Toronto.

Composé d'innombrables limousines noires, dont les occupants avaient en commun une raideur hautaine tout étrangère à l'affliction, le cortège funèbre fut impressionnant. (Nulle part ailleurs, dans aucune autre ville de l'Amérique du Nord ne trouvera-t-on plus rigide, plus austère composition. À croire qu'à Toronto la ville même trouve dans ce cérémonial le terme, la juste note de son ordinaire: tours grises, Holiday Inns, Island Park...)

— *Et le repos,* lança le célébrant en agitant son goupillon, *éternel.*

— Parfaitement, appuya hypocritement quelqu'un dans l'assistance.

Dispersion

Elvire leva son visage vers le ciel.

Autour d'elle la nuit commençait à descendre. Froide fontaine, collier d'agates; la nuit enfin. Elle frissonna.

Dans le lointain, en bas de la ligne noire du bois, un train filait. Un convoi de marchandises. Elle ferma les yeux pour mieux entendre; le train répétait une phrase, scandait on ne sait quoi. Fer contre fer, acier contre acier: un long râle mécanique, une plainte obstinée contre la pesanteur et le frottement.

Elle rouvrit les yeux, se leva. Tout autour s'offrait la nuit, hypocrite profondeur de tunnel.

À l'intérieur du wagon Renzo fumait. De longs cigares sombres, qui sentaient mauvais. En face était assise Ramona, qui montrait ses cuisses en feuilletant un magazine rapporté de la ville. Renzo la trouvait garce parce qu'elle lui chipait de l'argent; elle s'en fichait, et racontait à tout le monde ce qu'il avait fait avec Maria, un soir, avant d'aller se coucher.

— Bêtises! rougissait Maria en baissant les yeux sur son ouvrage.

Renzo, la tête renversée, soufflait des ronds de fumée sale en direction du plafond.

Elle déposa devant lui, sur la table, de petits gâteaux à l'orange et une théière de porcelaine. Les gâteaux sortaient du four; une bonne odeur flottait autour de la théière dont le bec laissait s'étirer un pâle filet de vapeur.

Tout cela trahissait un raffinement excessif, et Ambler se dit que Sarah le faisait exprès. Son père avait raison: ils n'étaient pas du même monde. Puis il songea qu'il ne servait à rien de se tourmenter. Sarah était une fille sensationnelle, même avec ses blouses de soie et ses souliers pointus. Et quand ils faisaient l'amour...

— Crème ou citron, avec le thé?

Shalima prit doucement sa main et elle y appuya les lèvres.

— Je l'ai fait *pour toi* murmura-t-elle. Et je le referais chaque jour si tu me le demandais.

Il y avait du feu dans son regard. Entre ses seins l'agate luisait; se soulevait avec son souffle, battait avec son sang. Il lui sourit.

— Tu es une sorcière, dit-il béatement.

Elle fit oui de la tête, serra une autre fois sa main entre ses doigts. Une sorcière.

Eugène n'avait jamais été bien riche. Aussi, pendant que Lorie mordait dans sa moitié de pomme, inscrivait-il mentalement des chiffres: trente-cinq dollars pour le taxi et les entrées au cinéma, puis le restaurant, les pourboires, le retour en taxi... Il s'arrêta. Les oreilles lui tintaient, il y en avait déjà pour plus de deux cents dollars.

— Eugène, disait une voix. Eugène?

Lorie lui souriait.

— Vous ne vous sentez pas bien?

— Je pensais à nous deux, mentit-il.

Lorie fit une moue.

— Ça n'avait pas l'air d'être bien gai. Vous préférez rentrer?

Steph but à même le goulot et s'essuya du revers de la manche; puis il passa la bouteille à sa gauche. Une main s'en empara et retraita dans l'ombre, avalée par la nuit froide.

Steph-le-poivrot s'allongea sur le dos, face à la lune. Il avait froid, et pourtant ce n'était pas le froid qui le tourmentait.

Qu'était-ce donc, alors?

Il n'aurait pas su dire. Une cloche comme lui.

Tatiana était assise au salon. Amoureuse: quel drôle de mot. Dans la pièce d'à côté la bonne préparait du café. On l'entendait moudre le grain, déplier la broderie, disposer les soucoupes autour de la table de noyer. Amoureuse. Le monde entier respirait soudain au même rythme, partageait la même ivresse. Heureuse, belle, forte.

Quatre heures sonnèrent à la pendule de l'entrée. Dans l'autre pièce, Natacha écrivait à présent les noms des convives sur de petits rectangles de bristol; Tatiana ferma les yeux. Quelle naïveté, mon Dieu; quel bonheur. Cinquante-trois ans!

— Il y a du piment, là-dedans! commenta le notaire en repoussant une assiette de canapés. Je ne supporte pas les plats épicés; vous le savez, très chère.

«Nous y voilà», pensa Trevor. Quand le vieil avare commençait à donner du *très chère* à son épouse il fallait être sur ses gardes. Bientôt il chausserait ses besicles et se mettrait à piailler; la soirée serait fichue.

— Du thé, Derborence? suggéra pour faire diversion la maîtresse de maison; il arrive de Ceylan. Très délicat, très fin vous verrez.

Le notaire s'objecta.

— Ceylan? Il n'y a plus de Ceylan depuis presque vingt ans! On dit maintenant le *Sri Lanka,* rectifia-t-il avec dédain.

Il renifla.

— Colonialisme anglais! ajouta-t-il encore. Eux et leur fichu thé!

Il détacha son col, le visage empourpré. Par-derrière une voix complaisante fit observer que *Ceylan,* du reste, était bien plus joli que *Sri Lanka.*

Il se fit un silence tendu: le notaire, renfrogné, baissa la tête et prit une mine de mulet bâté.

— Tout le monde en place! commanda Berger. Action!

Josiane croisa les jambes; elle ne portait pas de dessous. Le gars qui se trouvait avec elle sembla tout d'abord se demander ce qu'il fallait faire, puis il décida de chercher la réponse dans les jupons de la fille.

Celle-ci observait tristement le spectacle, en laissant parfois échapper des plaintes de chiot égaré. Ils avaient tous les deux l'air d'avoir oublié leur texte, en fait.

Pollock frottait ses grosses mains tachées d'huile et d'encre. Par terre se trouvait un lot d'épreuves, couvert de taches lui aussi. Sur la table de montage, juste à côté, des images pieuses et des pin up de calendrier formaient un drôle d'agencement.

L'imprimeur secoua la tête, découragé. Il finit par extraire de là-dedans une maquette de revue, avec la photo d'une femme nue entre deux bandes de texte. Il l'éleva devant la lumière pour examiner en transparence la trame du papier. *«Kyrie eleison»,* blasphéma son assistant.

Pollock renonça, baissa les bras.

— On ferme, déclara-t-il en jetant la feuille au panier.

On ferme.

À dix heures précises, conformément aux volontés du défunt, Maître LeBuis entra. Elle était vêtue d'une tunique de soie noire, et portait au poignet un bracelet d'améthyste qui brillait dans le soleil. Les héritiers passèrent sur son invitation dans une haute pièce claire, au centre de laquelle trônait un grand bureau de cerisier. Sur celui-ci se trouvaient des livres, une enveloppe scellée, une urne de jais et un Rafflin rosé.

— Asseyez-vous je vous prie, fit la notaire. Monsieur Goudge, par ici s'il vous plaît.

Edwin se sentait très mal à l'aise. En outre il avait le hoquet. Maître LeBuis prit l'enveloppe, la déchira et en tira une feuille de papier sur laquelle Edwin reconnut l'écriture de son père.

— *«Ce sont là,* lut-elle posément, *mes dernières volontés.»*

— Houic, fit Edwin que son hoquet torturait.

— *«Edwin, mon garçon,* reprit la notaire, *pardonne-moi. Rends-toi un peu utile et ouvre cette bouteille. Nous trinquerons.»*

— Il est là, expliqua la notaire en montrant l'urne noire.

Puis elle reprit sa lecture. Les larmes aux yeux, Edwin fit sauter le bouchon et une bonne partie du liquide rejaillit sur l'urne, le bureau et les papiers.

— *«Ego te absolvo»,* prononça gravement Maître LeBuis en élevant sa coupe.

Ils burent.

— Votre père, conclut la notaire, avait un humour très mordant.

Elle s'appelait Julie. C'était une grande fille blonde, un peu mélancolique, avec une belle bouche triste et un corps de danseuse. Elle ne parlait pas beaucoup; ça lui donnait un genre à la fois distrait et têtu, l'air d'une fille qui par mégarde aurait oublié de se lever le matin.

Bon, enfin: on ne va pas en faire toute une histoire, n'est-ce pas?

— Oignons, moutarde et ananas, dit l'homme.

Le serveur, un petit gros vêtu à l'hawaïenne, se mit à rigoler. Les touristes ne savaient plus quoi inventer.

— Hé, Marcos! cria-t-il en s'éloignant vers les cuisines.

Il ajouta un commentaire qui se perdit, lorsqu'il ouvrit la porte de service, dans un vacarme de chaudrons et d'ustensiles. Du pidgin: vous n'auriez rien compris de toute façon.

Il restait dans l'assiette un morceau de pâté aux truffes dont personne n'avait voulu.

— Vous le donnerez aux chiens, lança grossièrement Ezrab.

Son frère tiqua. Ezrab était ivre: les vieux s'étaient ruinés pour ce repas.

— Eh, Youssouf! cria encore l'ivrogne en trébuchant sur une chaise.

Il se releva, replaça la mèche grasse qui lui barrait le front.

— Youssouf, fumier de ta mère!

Au bout de la table une bouteille tinta, puis ce fut le silence. Les regards se tournèrent vers Youssouf qui s'était levé, les yeux rouges, et avait empoigné sans rien dire un couteau à pain.

Cinéma Palace. Entre elle et lui, calé contre le bras de cuir du fauteuil, un contenant cartonné rempli de pop-corn.

Dans l'obscurité leurs mains se frôlaient; ils les laissaient se toucher, faisant semblant de s'intéresser aux images qui glissaient sur l'écran. Celles-ci, bien entendu, n'avaient guère d'importance; le même film aurait pu tourner dans toutes les salles de cinéma de l'Amérique, ils ne l'auraient pas regardé davantage.

Derrière eux, profitant d'une scène de baiser, le jeune Godefroi s'avança, joignit les mains et susurra d'une voix de curé:

— Acceptez-vous de prendre pour épouse...

Dans le noir, quelqu'un s'esclaffa.

Quelques mètres plus loin Daryl ralentit le pas, guettant subrepticement dans la vitrine du marchand de journaux le reflet de l'homme au chapeau. Il était là, froid et obstiné, occupé à calculer la distance qu'il devait maintenir entre sa proie et lui. «Un tueur» pensa Daryl. Dans la vitrine, le bord tranchant d'une tablette lui faisait une balafre en travers de la gorge. «Ne t'arrête pas.»

Un taxi survint. Il pensa s'y jeter puis se ravisa: inutile. Ils le rejoindraient toujours. Partout.

Dans la rue le feu passa au jaune. Il ne s'arrêta pas.

Sur ces entrefaites, entra une adolescente qui devait avoir quinze ou seize ans.

— Ah: ma fille, Barbara. Barbara, monsieur Goudge.

— Edwin, éluda ce dernier.

Elle lui tendit la main.

— Vous allez vous faire éplucher, prévint-elle. Ma mère est une…

— Barbara!

La jeune fille haussa les épaules et tourna les talons.

— Ça vous regarde, après tout!

Elle s'éloigna en chantonnant, tandis que dans le bureau de Maître LeBuis la petite cérémonie touchait à sa fin.

— Vous faites souvent ce rêve?

— Oui.

— Toujours le même?

— Pas tout à fait. Parfois, à votre place, il y a une étudiante du docteur Cullen.

— À ma place?

— Ça signifie qu'au lieu de faire l'amour avec vous je me trouve avec elle. Vous comprenez?

Un temps passa. Puis l'autre reprit:

— C'est arrivé dans la réalité?

— Qu'est-ce que vous croyez: elle s'appelle *Virginia,* bon Dieu!

— Ce nom ne vous plaît pas?

— Vous ne comprenez jamais rien, vous, hein?

Édith portait un pantalon de toile jaune; sa sœur, elle, ne portait rien. Elle était allongée en travers du divan, la jambe et le bras repliés dans une position bizarre.

— Elle est saoule, articula Édith en ravalant. Tu vois bien.

Puis elle parut se raviser et ramena Nicco en le tirant par la manche. Celui-ci se laissa conduire au salon où elle lui désigna d'un geste large la verrière.

— Rez-de-chaussée, trésor. Martini double pour moi!

Il s'étonna qu'elle ait pu dire cela sans zézayer. Peut-être n'était-elle pas aussi ivre qu'elle voulait le paraître.

— Je m'appelle Madison, fit-il.

— Un nom de building, sourit l'autre. On ne t'a jamais dit?

— Écoute bien, poulet: te montre pas trop faraud. J'en connais qui pourraient t'en vouloir. Vu?

— Il a dû te falloir pas mal d'années pour arriver à parler comme ça, non? Un vrai dur, mazette!

Madison parut sur le point de se mettre à pleurer.

— Charles, trésor! pleurnicha le gros pédé en robe de chambre; je n'osais plus y croire!

Il se leva. Un onguent gras dégoulinait du tube qu'il tenait, tachant la soie chamarrée de son vêtement.

— Regarde donc dans quel état je me suis mise! Oh, pourquoi m'as-tu fait attendre aussi longtemps?

Il se souriait bravement à lui-même, tourné vers le miroir où luisait son visage glabre, enduit de lait démaquillant.

Lorsque Madison revint le lendemain il portait un complet gris clair, très ajusté, qui le faisait paraître plus petit. Il se trouvait accompagné de deux hommes dont les muscles avaient l'air capables de broyer de l'acier.

— Toujours aussi folâtre? demanda-t-il en s'approchant du prisonnier.

Corey ne répondit rien et durcit ses abdominaux, croyant que Madison allait le frapper. Il n'en fit rien.

— Maintenez-le, dit-il plutôt à ses deux gardes; qu'il ne bouge pas d'un cil.

Il s'avança, tenant entre ses doigts une étroite dague à manche de nacre.

— Je vais t'arranger les ongles, fit-il avec un pâle sourire.

On n'entendit plus que des murmures, qui se mêlaient à la nuit. Dans le vent doux un arbre bruissait. Puis il se mit à pleuvoir; le bruit des feuilles s'alourdit, devint plus dense.

Évelyne dit qu'elle avait froid; nous rentrâmes.

— Je suis tellement docile! se résigna Chung en écartant les bras.

— Tu n'es pas docile tu es *mou,* riposta sèchement Marlène.

Un sourire de bouddha s'étira sur les lèvres de l'homme. Son visage n'était plus qu'une lune rose barrée de trois traits sombres: les deux yeux, la bouche. Sans cesser de sourire il s'inclina profondément.

— Tout ce qu'il te plaira, ô femme! murmura-t-il en joignant ses grasses mains.

Ils continuaient, légèrement ivres, à bavarder sous les lanternes bleues de la terrasse.

— Voilà le moment que je préfère, déclara sentencieusement le professeur; quelle heure exquise, ne trouvez-vous pas?

Il joignait le bout des doigts pour saisir le délicat, le lumineux filon de ses pensées. Rita Seiblitz se tenait derrière lui, appuyée à la rampe, et l'écoutait. Soudain, la coupe qu'elle tenait lui glissa des mains et chut au bas du balcon. Un gracieux arc de cercle: on l'entendit, sur les pierres du patio, voler en éclats cristallins. Le professeur, disert et savant, ne remarqua rien du tout.

— Moi je le trouve *pénétrant,* s'extasia Desdémone en posant ses deux mains à plat sur ses genoux.

Vanessa, sa fille, était assise par terre à écouter des disques de Joni Mitchell.

— Il t'a baisée? demanda-t-elle narquoisement.

Desdémone lissa sa robe et prit un air avantageux.

Le parfum de Vera était encore avec lui. Sur sa veste, sa joue, ses mains; un délicat nuage. Ezrah, elle, était furieuse.

— Pourquoi ne m'as-tu pas téléphoné?

— Je ne sais pas, lui répondit Edwin la bouche en cœur. J'ai oublié, tout bêtement.

— Tu ne te rappelais pas ton *propre* numéro?

— Je ne me téléphone pour ainsi dire jamais, trésor. Désolé.

S'il ne s'excusait pas, pensa-t-il tout excité, elle lui casserait certainement la lampe sur la tête.

Elle se tourna vivement en direction de la porte, prête à s'en aller.

— Vous avez une échelle à votre bas, dit encore Samuel dans l'intention de la retenir.

— Je vous interdis de regarder, répliqua-t-elle avec mépris.

Elle sortit en claquant la porte. Son parfum s'étira derrière elle, insidieux et têtu; puis il s'effaça. Samuel hocha la tête et se leva.

New York, Pâques 1985.

Dans l'appartement une table pour deux avait été dressée. À gauche, sous une aquarelle bleue, une bouteille de vin attendait; près de la fenêtre un guéridon garni de tulipes donnait au décor un cachet élégant.

Sur une desserte d'acajou se trouvaient encore des crevettes, du saumon fumé, des tranches de citron vert; le tout apprêté avec soin, et disposé dans des assiettes de porcelaine blanche.

Pour le reste la pièce était vide; absolument.

— Je n'aime pas beaucoup le jazz, prétendait Mirna. Ça fait trop intello.

— Sûr, l'appuya Fonzo. Tandis que le swing…

Mirna lui adressa un sourire fielleux; s'il tenait absolument à débiter des âneries, ne pouvait-il pas au moins baisser le ton? Fonzo rougit et se tut.

Lorsque l'orchestre se remit à jouer, les danseurs du concours rappliquèrent, accompagnés de plusieurs autres couples qui se lancèrent dans un fox-trot compliqué. Fonzo regarda prudemment du côté de Mirna; elle trempait le bout des lèvres dans un cocktail rose, tout aussi enchantée que si elle s'était trouvée devant un tas d'ordures.

Edwin et Serena arrivèrent sur le balcon de bois peint, bâti en surplomb du ruisseau qui traversait le sous-bois. L'endroit était joli, paisible: l'eau glacée découpait dans la neige un étroit sillon bleu qui descendait en cascade sur les cailloux noirs du gué.

Serena, les fesses appuyées contre la rampe, se mit à lancer en direction du ruisseau de petits glaçons qui ne l'atteignaient jamais.

— N'est-ce pas merveilleux? demanda-t-elle soudain.

Edwin regardait, du côté des taillis, un geai immobile qui tenait une brindille.

— Cet oiseau?

Elle baissa les yeux. Ce n'était pas ce qu'elle avait voulu dire.

— Qu'on soit là, tous les deux, expliqua-t-elle doucement.

Le professeur Seiblitz lui-même, auguste et courroucé, fit son entrée dans la salle. En dépit de sa petite taille il toisait tout le monde avec hauteur, du fait que ses lunettes lui glissaient toujours sur le bout du nez. Il ressemblait, considérant une lamelle de microscope, à un Gulliver sceptique découvrant avec stupeur l'infiniment petit.

Il se trouvait ce matin-là en compagnie du docteur Dainty, dont la réputation de snobisme était proverbiale: le seul homme de la planète à n'avoir jamais bu de café instantané. Le seul aussi, sans doute, à estimer qu'il était vulgaire de conduire soi-même une voiture, ou de voyager autrement qu'en transatlantique.

Il ne fallut guère de temps à Seiblitz pour arriver à la table d'Edwin, flanqué de l'ineffable Dainty.

— Vos pitreries nous font perdre du *temps,* rageait-il; vous vous rendez compte?

— Songez aux vies que nous épargnons, professeur, le consola Edwin. (Puis, à l'intention du docteur Dainty que les endroits publics rendaient malade:) Par exemple! Vous ici, docteur?

Dainty chercha machinalement à prendre son étui à cigarettes; il avait cessé de fumer, hélas, et ne trouva au fond de sa poche qu'un portemine bleu.

— Voilà bien le problème, admit humblement le gros Lucca. Je ne suis pas doué pour les rôles tristes.

L'inspecteur l'écoutait avec méfiance. Lucca s'épongea le front, profitant de l'occasion pour jeter un coup d'œil à son reflet dans le miroir. Puis il regarda au fond de sa tasse et fronça le sourcil:

— Café de cochons dans ce pays, bougonna-t-il. Finissons-en, voulez-vous?

Adams ôta ses lunettes et se gratta le nez, perplexe.

— Je vous ai posé une question, insista Sinclair; n'avez-vous pas entendu?

L'autre soupira d'un air las.

— Je suis fatigué, fit-il. Pardonnez-moi.

Sans ses lunettes Adams ressemblait à une grenouille. Une grenouille triste; avec des yeux brumeux de batracien myope.

Sinclair vida son verre, jeta quelques dollars dans une assiette et sortit.

«Et maintenant, avait pensé la jeune femme, *que va-t-il se passer maintenant?»*

Émilio avait tendu sa main calleuse en direction de la boîte qui se trouvait au coin de la table. Il compta très vite l'argent qu'elle contenait, en disant des *Avé* du bout des lèvres. Joanna le regardait faire et surveillait nerveusement son bracelet-montre.

— Croyez-vous qu'il viendra? demanda l'homme quand il eut fini de compter.

Il agitait maintenant la liasse de billets en la serrant très fort entre ses doigts, à la façon d'un paysan. Joanna acquiesça:

— À dix heures, précisa-t-elle. Pas avant.

Emilio laissa retomber les billets sur la table, écœuré.

Dire qu'on en est là, bonne Sainte Vierge; quel gâchis!

Tu t'arrêtes au bord de la route; tu penses à elle. Il est tard et pourtant il fait encore une chaleur de four: les champs, le ciel charbon où l'on voit des éclairs, la terre entière n'est plus qu'un nid de salamandre.

Près de toi filent des camions énormes, qui te défoncent les tympans avec des sifflements de pneus brûlants. L'air en est constamment secoué, rempli d'une poussière de poivre. Plus loin à gauche il y a une station-service: odeurs d'essence, d'huile répandue sur le ciment. Un délire.

La nuit est folle et incendiaire, elle crie, elle se démène, elle a des cernes sous les yeux.

Dans le fossé, en bas, des herbes sèches, de la terre mate, des papiers; plus loin encore, un restaurant. À l'intérieur, personne. Du rock grésille à la radio.

Tu es sur la planète Mars.

Nous étions agenouillés à la japonaise, devant une table basse où s'alignaient des bouteilles d'alcool blanc.

— Je te dégoûte? demanda Karen en soufflant la fumée de sa Gitane.

Elle avait une moue désabusée, une allure de call-girl. Je sortis une cigarette que je ne me décidai pas à allumer. Alors je la remis dans ma poche et m'appliquai à dédramatiser les choses: avec ses cheveux défaits et sa bouche maussade, Karen ressemblait à une adolescente.

Son genou frôla le mien, puis elle mit une main sur mon poignet.

— Tu mourrais pour moi, si je te le demandais?

Tes hanches sont serrées dans une jupe de cuir vert; tu portes un blouson noir, des boucles d'oreilles rouges. Sarah prétend que tu ne sais pas t'habiller.

Foutaises. C'est très beau et très vulgaire, la façon dont tu t'assois, dont tu feuillettes ce magazine en humectant ton doigt à chaque page.

Je voudrais être n'importe quoi que ta peau touche, n'importe quel chiffon.

Rue Logan, six heures du matin.

Manuel est étendu sur le trottoir, les dents cassées. Dans un entrepôt de fonderie, à l'ouest de la ville, sa sœur a été enfermée toute la nuit avec une quinzaine de types: règlement de comptes. Il y avait aussi d'autres filles, des putains de Lyme Street. Ils l'ont violée quatorze fois.

À l'aube, ils ont fini par embarquer Manuel dans une voiture et l'ont laissé devant chez lui, incognito.

— La fille, on ne sait pas encore, diront plus tard les voisins; les policiers ne foutent rien.

Cette horreur un dimanche. Qui a voulu cela?

Soucieux du bon fonctionnement de l'arme, le colonel voulut d'abord l'essayer. Il appuya sur la détente et le coup partit, plaquant brutalement au plafond une petite étoile de plâtre jaune.

— Parfait, approuva-t-il. À vous maintenant.

Jouffroy, blême, glissa une balle pointue dans le barillet, qu'il fit tournoyer de la main droite avant de le remettre en place. Puis il arma le chien, appuya l'arme contre sa tempe et tira. Rien ne se produisit. Il eut un pauvre sourire et dit, les yeux brillants d'émotion:

— Je lis trop de romans, je suppose. À vous, colonel.

Il lui tendit l'arme respectueusement, en la tenant par le canon.

Il faisait le deuxième jour une chaleur épouvantable: quarante degrés à l'ombre. Nous avions tous le souffle court, le moindre geste nous coûtait de gros efforts. Certains parlèrent de rebrousser chemin. Finalement personne n'en fit rien: à San Carlo, promettaient les deux guides, à San Carlo nous verrions des choses extraordinaires.

À midi, quand la chaleur fut devenue intolérable, nous nous arrêtâmes au pied d'une falaise. Un guide nous expliqua que bientôt, si le vent ne se levait pas, nous pourrions voir du haut des rochers des plongeurs se jeter dans une minuscule cuvette que recouvrait et découvrait alternativement, trente mètres plus bas, le mouvement de la mer. *«Madre de Dios»,* se pâma une vieille dame en se signant.

— Et s'ils se blessaient? demanda avec ménagement quelqu'un.

— Ils perdraient tout de suite leur emploi, répondit sans s'émouvoir le guide.

Vassily finit par aller s'asseoir dans le coin, sur le banc de bois dur. «Il n'y avait plus, songea-t-il, qu'à attendre le retour d'Olga.» Une vieille blague entre Marek et lui: quand tout allait de travers, ils attendaient Olga.

Au centre du bureau, dans une assiette à motifs, refroidissaient des rôties saupoudrées de saccharine: invention de Solikhov. Il y avait aussi du café, pas très bon, dans une cafetière. Elle était encore pleine, personne n'y avait touché. Vassily se releva.

— Champagne, camarades? proposa-t-il pour alléger l'atmosphère.

— Alors Hermann se retrouva au paradis, devant une montagne de canettes vides écrabouillées. Des canettes de bière, Herr Fuchs: l'œuvre de toute une vie. Vous ne me croyez pas?

Il se présenta bientôt un petit homme, vêtu d'une robe de moine, qui le tira de son émerveillement. Avait-il d'autres désirs, un souhait particulier à formuler?

Hermann passa la main sur sa joue droite. Il était sale, pas rasé; sa barbe piquait, il se sentait fatigué. N'importe: il acquiesça, ses yeux étincelèrent.

— Attention, prévint prudemment le petit moine: pas de cochonneries.

Marcello la détestait, avec son sourire collant et la mèche de cheveux roux qu'elle se ramenait tout le temps derrière l'oreille.

— Qu'est-ce que tu sais faire d'autre? demanda-t-il.

Elle eut un geste de star, évasif et blasé.

— Des bloody Mary, répondit-elle en soulevant son verre vide.

Marcello ne cacha pas sa déception. Elle lui effleura le menton du doigt:

— Aligner les pilules sur une table de nuit, roucoula-t-elle, ça aussi je sais.

Elle avait l'air contente. Elle était saoule, pensa-t-il.

— La nuit dernière j'ai fait un rêve étrange: j'étais morte, je me voyais. Je voyais mes deux mains posées sur ma poitrine, ou sur la tienne, je ne sais plus. Il faisait froid, mes ongles étaient devenus bleus. Tu me réchauffais.

Christine s'arrêta. Elle tourna la tête sur l'oreiller et ajouta:

— Bleu c'est une preuve d'amour, tu ne crois pas?

Élégies

Elle n'arrêtait pas de parler.

Le bébé qu'elle tenait dans ses bras était vraiment minuscule, cinq ou six jours à peine; et tandis qu'elle parlait les yeux bleus du nourrisson effleuraient des petits bouts de son monde, un peu tristement parce que les tout nouveau-nés ont toujours le regard triste, on dirait.

Il faut comprendre, ils ne s'y retrouvent pas: la lumière, le bruit, la faim... On appelle ça la vie, le début, mais qui sait? Pourtant c'est tellement beau, tu comprends? On s'embrasse, on pleure, on achète des cadeaux; on veut que le bébé reste avec nous, du bon côté. On croit que c'est le bon côté, bien sûr; on se dit ça. Lui il veut bien, c'est un brave bébé. Il reste. Mais je parle trop, n'est-ce pas?

Le gros homme s'assit sans détacher son pardessus, qui lui pocha comiquement sous le menton. Après avoir allumé une cigarette il inclina la tête et considéra pensivement l'allumette. Son regard triste le faisait ressembler à Jackie Gleason, pensa Clément: un brave toutou débonnaire.

Sa cigarette terminée, le gros arrondit les lèvres et ramena les mains sous son menton; placide, replet, bonbon. Puis subitement ses joues frémirent et il se mit à pleurer.

Clément planta le nez au fond de son verre; il se sentait complètement idiot. Le barman, agacé, remonta le son du téléviseur.

— Salut! chantonna Aude en apercevant son oncle à la terrasse du Club. Quoi de neuf ?

L'oncle parut piqué par une vipère.

— Du neuf, Seigneur! Alors que l'ancien est si convenable, si comme il faut!

Puis il se radoucit, et indiqua à sa nièce un fauteuil de brocart.

— Allons, reprit-il, parlons plutôt du bon vieux temps. Que devient votre père?

— Il devient vicieux, déclara sans hésiter la jeune fille. Vous ne saviez pas?

Affalé dans son fauteuil, Forster inclinait la tête et contemplait le glaçon qui fondait dans son scotch.

— Je ne comprends pas, murmura-t-il. Ça me dépasse, Fran.

La glace tinta contre le verre. Fran croisa les jambes et sa robe claire glissa au-dessus de ses genoux. Forster, lui, s'obstinait à regarder dans son scotch comme s'il y voyait des poissons rouges. De temps à autre le glaçon faisait *ting* contre le cristal fin, et Forster se remettait à dériver: l'alcool, le feu d'ambre, l'onde absolue du corps bronzé de Fran. Il s'ébroua.

— Je ne comprends pas, répéta-t-il une autre fois.

Francesca se leva, froide et grave. Sa robe retomba.

— Tu veux que je t'appelle un taxi? demanda-t-elle.

— Ces saletés de romans, déclara Karine avec un beau sourire à fossettes, me donnent tous le cafard.

Une goutte de crème glissait sur son menton, juste au-dessous de la lèvre qui avait repris son pli boudeur. Vulgaire, pensa Henning. Il se remit à bander; la vulgarité avait sur lui de sournois effets.

— Quelle horreur! sourit encore Karine.

Elle tournait les pages avec une délectation fervente, ravie d'avoir tant de choses à détester en même temps: Henning, son petit livre, cet endroit infect. Bouquin, bougnoul, boui-boui, ça l'amusait drôlement.

Henning rappela le boy et commanda deux autres cubanas.

— *«Fiat voluntas tua!»* soupira le commissaire Blier en raccrochant le téléphone.

Brigitte ouvrit de grands yeux bleus, d'un bleu trop clair, trop doux pour son teint de rousse.

— Qu'est-ce que ça veut dire? demanda-t-elle.

— Laisse tomber c'est du latin, grogna le flic que la question importunait.

— Oui mais…

Blier leva sur elle un regard d'insomniaque.

— Ça veut dire feu à volonté, je pense. Bon, il va falloir travailler, le temps file.

Madame Langhier-Duphly n'était pas seulement sirupeuse, elle empestait l'hypocrisie.

— Si vos parents vous battaient, disait-elle en forçant la compassion, il y aura toujours en vous un ressort brisé.

Pour mieux faire voir sa bonne âme elle inclinait le buste vers l'avant, les coudes appuyés sur les genoux. L'âme en question devait flotter entre ses seins, étouffée par la lavande et le désodorisant. Sa main se posa brièvement sur le poignet de son patient, tandis qu'elle contemplait d'un air ravi le tableau qu'elle se faisait de l'affaire.

— C'est l'heure de ma râclée quotidienne, expliqua l'homme à voix basse. Je vais aller me recueillir, excusez-moi.

Elle eut un petit sursaut mais se ressaisit très vite. «Je comprends, assura-t-elle. Je comprends.»

L'autre sortit écœuré, en se disant que la vieille fouine aurait mieux fait de vendre des pâtées pour chats.

La fausse duchesse n'en revenait pas, apparemment. Elle fit en étirant le cou un effort désespéré pour effacer son triple menton; bien sûr elle n'y arriva pas, mais son orgueil l'empêcha de prêter attention à ce détail.

— Comment dites-vous, minauda-t-elle enfin d'une voix flûtée: du *dance music?*

Dexter approuva.

— Chère madame, ajouta-t-il avec la gravité d'un Churchill, tel que vous me voyez j'ai même survécu à du *country*. Ce ne fut pas sans mal, mais enfin l'honneur est sauf. Qu'en dites-vous?

— Humph! prescrivit en se renfrognant le docteur Waugh: régime végétarien.

— *Prolétarien,* corrigea quelqu'un d'autre. Régime prolétarien. Ha! Ha! Ha!

Dexter se dit qu'il ne comprendrait jamais les riches.

Le Nègre était appuyé — c'est-à-dire qu'il s'agrippait — au piano noir de mademoiselle Hortensia, et enguirlandait d'une voix aiguë son propre reflet sombre qu'il couvrait de postillons.

— T'as jamais rien fait de bon, mon vieux. Alors tu sais: tu t'achètes un revolver, tu te le fourres dans la gueule et tu tires. Pas de questions?

— Il faut rentrer, allons, lui dit quelqu'un. (Une bonne âme bien charnue, bien blanche, bien épaisse.) Tu vas te lever et t'en aller chez toi.

— Et toi, mon vieux, t'iras baiser ton chien, nom de Dieu! riposta le Noir en l'imitant. Le beau couple, hein? Le beau couple que ça fera.

L'autre blêmit et tourna les talons. Le Noir s'assit et se mit à jouer *Melancholy Baby*.

— Dans le fond on ne sait pas ce qu'on veut, hein Mialto?

Masha avait parlé d'une voix tremblotante et mal contenue, une voix fêlée d'ivrogne-qui-n'a-pas-bu-tant-que-ça. Il tenait à peine sur ses jambes, et en regardant le petit immeuble que la secousse venait de flanquer par terre il n'arrêtait pas de répéter que lui et Mialto l'avaient échappé belle. S'ils n'étaient pas sortis acheter de la bière...

— Tu te rends compte, braillait-il. L'heureux jour où nous manquâmes de bière! Mais dis quelque chose, bon Dieu! On t'a bouffé la langue?

Il chancelait sur le trottoir, devant les débris empoussiérés de leur maison; autour d'eux, ça et là, les gens commençaient à descendre dans la rue. Seuls ou par couples, ils défilaient devant les tas de débris. Certains buvaient, certains pleuraient; les autres restaient là à se répéter qu'ils rêvaient, que la secousse avait eu lieu ailleurs. Le regard vide, ils apprenaient la catastrophe à la télé, aux actualités.

Au loin quelques étoiles pointaient déjà dans le ciel mauve; la nuit allait tomber. Masha se tut enfin.

Le gros doigt de Carrel s'arrêta sur un bout de texte écrit à l'encre bleue, au bas d'une page chiffonnée. Docile, Simon relut:

«À travers la vitre sale, les passants pouvaient voir les serveuses s'affairer derrière des piles de gobelets en styrène, à côté d'un réchaud où fumait du café. Alex reconnut Rose-Marie qui s'étirait en bâillant, les bras paresseusement levés à la hauteur de la nuque. Un Degas!»

Carrel fit la moue et regarda Simon au fond des yeux, bien calmement: «Tu connais Degas?»

Simon rougit. Carrel saisit la feuille et la jeta au panier: les enfants ne savaient plus rien, de nos jours.

— J'en ai assez, fit Gordon en rentrant dans la petite pièce qui servait de cuisine. Assez, nom de Dieu. J'abandonne.

Il se laissa tomber sur une chaise d'osier qui craqua sous son poids et sortit de sa poche un mouchoir crasseux dont il s'épongea le front. Assise en face de lui, les lèvres serrées sur les aiguilles avec lesquelles elle arrangeait un bord de robe, Anita continuait à travailler sans dire un mot. Mais son front s'était barré d'une ride et ses mouvements se firent plus brusques. Gordon, le dos rond, prit une gueule de chien battu.

— Je laisse tomber, Nita, répéta-t-il en soupirant. Tu entends?

Anita retira d'un geste adroit toutes ses aiguilles et le toisa durement.

— Très bien, trancha-t-elle. Parfait. Reste donc assis sur ton foutu derrière, fourre-toi des pétards dans les oreilles et attends de voir ce qui va arriver. Tiens, tu veux des allumettes?

Avec le whisky Jennifer avait apporté des noix salées, des tranches de rôti et du vin blanc. Curieuse idée, le vin blanc, vu qu'ils n'avaient rien pour le faire refroidir; et pas de glaçons non plus pour le whisky, se dit soudain Ambrose. Après tout c'était plutôt le rôti qui faisait bizarre, non? Et les noix aussi, tiens, pourquoi pas. Les noix. Ils voulaient seulement boire, pourquoi tout compliquer?

Jennifer avait déposé les provisions sur un cageot à pommes vide qui servait de desserte, et s'était absentée un moment. Lorsqu'elle revint elle s'assit à l'indienne en face d'Ambrose, qui regardait stupidement ses chaussettes.

— Tu n'as pas faim? demanda-t-elle.

Il ne sut pas quoi répondre.

Il faut bien se défendre, non? C'est ce qu'on dit, en tout cas. Et en général les gens semblent croire que c'est vrai.

Sauf que moi, au début, je ne savais pas. J'ai dû comme ça passer une bonne trentaine d'années à essayer d'être gentil. Pourtant au bout de trente années quelque chose s'est cassé; j'aurais voulu continuer, inutile. Cassé.

Et maintenant?

Oh, je ne suis pas bien méchant. Seulement, toute cette bonté m'est retombée dessus, on dirait. Je crois même qu'elle finirait par m'étouffer à la longue. Mais il faut bien se défendre, alors j'ai acheté ça.

C'est dans le cœur; suffit de bien viser.

Table

POÉSIE

José Acquelin, *Tout va rien*
José Acquelin, *Le piéton immobile*
Anne-Marie Alonzo, *Écoute, Sultane*
Anne-Marie Alonzo, *Le livre des ruptures*
Marie Anastasie, *Miroir de lumière*
Élaine Audet, *Pierre-feu*
Jean Basile, *Journal poétique*
Jean A. Beaudot, *La machine à écrire*
Germain Beauchamp, *La messe ovale*
Michel Beaulieu, *Le cercle de justice*
Michel beaulieu, *L'octobre*
Michel Beaulieu, *Pulsions*
André Beauregard, *Changer la vie*
André Beauregard, *Miroirs électriques*
André Beauregard, *Voyages au fond de moi-même*
Marcel Bélanger, *Fragments paniques*
Marcel Bélanger, *Infranoir*
Marcel Bélanger, *Migrations*
Marcel Bélanger, *Plein-vent*
Marcel Bélanger, *Prélude à la parole*
Marcel Bélanger, *Saisons sauvages*
Marcel Bélanger, *L'espace de la disparition*
Louis Bergeron, *Fin d'end*
Jacques Bernier, *Luminescences*
Réginald Boisvert, *Le temps de vivre*
Yves Boisvert, *Chiffrage des offenses*
Denis Boucher, *Tam-tam rouge*
Denise Boucher, *Paris Polaroïd*
Roland Bourneuf, *Passage de l'ombre*
Jacques Brault, *La poésie ce matin*
Pierre Brisson, *Exergue*
André Brochu, *Délit contre délit*
André Brochu, *Dans les chances de l'air*
Nicole Brossard, *Mécanique jongleuse* suivi de *Masculin Grammaticale*
Nicole Brossard, *Suite logique*
Antoinette Brouillette, *Bonjour soleil*
Alice Brunel-Roche, *Arc-boutée à ma terre d'exil*
Alice Brunel-Roche, *Au creux de la raison*
Françoise Bujold, *Piouke fille unique*
Michel Bujold, *Transitions en rupture*
Jean Bureau, *Devant toi*
Pierre Cadieu, *Entre voyeur et voyant*
Mario Campo, *Coma laudanum*
Georges Cartier, *Chanteaux*
Paul Chamberland, *Demain les dieux naîtront*
Paul Chamberland, *Demi-tour*
Paul Chamberland, *Éclats de la pierre noire d'où rejaillit ma vie*
Paul Chamberland, *Extrême survivance, extrême poésie*
Paul Chamberland, *L'enfant doré*
Paul Chamberland, *Le prince de Sexamour*
Paul Chamberland, *Terre souveraine*
Paul Chamberland, Ghislain Côté, Nicole Drassel, Michel Garneau, André Major, *Le pays*
François Charron, *Au «sujet» de la poésie*
François Charron, *Littérature/obscénités*
Pierre Châtillon, *Le mangeur de neige*
Pierre Châtillon, *Soleil de bivouac*
Herménégilde Chiasson, *Mourir à Scoudouc*
Jacques Clairoux, *Cœur de hot dog*
Cécile Cloutier, *Chaleuils*
Cécile Cloutier, *Paupières*
Guy Cloutier, *Cette profondeur parfois*
Jean Yves Collette, *L'état de débauche*
Jean Yves Collette, *Une certaine volonté de patience*
Gilles Constantineau, *Nouveaux poèmes*
Gilles Constantineau, *Simples poèmes et ballades*
Ghislain Côté, *Vers l'épaisseur*
Gilles Cyr, *Andromède attendra*
Gilles Cyr, *Diminution d'une pièce*
Gilles Cyr, *Sol inapparent*
Gilles Derome, *Dire pour ne pas être dit*
Gilles Derome, *Savoir par cœur*
Jacques De Roussan, *Éternités humaines*
Marcelle Desjardins, *Somme de sains poèmes t'aquins*
Gilles Des Marchais, *Mobiles sur des modes soniques*
Gilles Des Marchais, *Ombelles verbombreuses* précédé de *Parcellaires*
Ronald Després, *Les cloisons en vertige*
Pierre DesRuisseaux, *Lettres*
Pierre DesRuisseaux, *Monème*
Pierre DesRuisseaux, *Présence empourprée*
Pierre DesRuisseaux, *Storyboard*
Pierre DesRuisseaux, *Travaux ralentis*
Gaétan Dostie, *Poing commun* suivi de *Courir la galipotte*
Michèle Drouin, *La duègne accroupie*
Guy Ducharme, *Chemins vacants*
Guy Ducharme, *Rumeurs et saillies*
Raoul Duguay, *Chansons d'Ô*
Raoul Duguay, *Manifeste de l'infonie*
Fernand Dumont, *Parler de septembre*
François Dumont, *Eau dure*

Gérard Étienne, *Lettre à Montréal*
Jean-Paul Filion, *Chansons, poèmes*
Rémi-Paul Forgues, *Poèmes du vent et des ombres*
Claude Fournier, *Le ciel fermé*
Lucien Francœur, *5-10-15*
Lucien Francœur, *Des images pour une Gitane*
Lucien Francœur, *Drive-in*
Lucien Francœur, *Minibrixes réactés*
Lucien Francœur, *Les néons las*
Lucien Francœur, *Les rockeurs sanctifiés*
Lucien Francœur, *Une prière rock*
Alphonse Gagnon, *Intensité*
Juan Garcia, *Alchimie du corps*
Michel Garneau, *Moments*
Gérald Gaudet, *Il y a des royaumes*
Gérald Gaudet, *Lignes de nuit*
Claude Gauvreau, *Oeuvres créatrices complètes*
Michel Gay, *Métal mental*
Michel Gay, *Plaque tournante*
Jacques Geoffroy, *La catoche orange*
Louis Geoffroy, *Empire State coca blues*
Louis Geoffroy, *Femme, objet...*
Louis Geoffroy, *Le saint rouge et la pécheresse*
Louis Geoffroy, *Totem poing fermé*
Guy Gervais, *Gravité*
Guy Gervais, *Poésie I*
Guy Gervais, *Verbe silence*
Roland Giguère, *Temps et lieux*
Gérald Godin, *Les cantouques*
Gérald Godin, *Libertés surveillées*
Gérald Godin, *Poèmes de route*
Gaston Gouin, *J'il de noir*
Pierre Graveline, *Chansons d'icitte*
Claude Haeffely, *Des nus et des pierres*
Claude Haeffely, *Glück*
Claude Haeffely, *Le périscope*
Claude Haeffely, *Rouge de nuit*
Jean Hallal, *Le songe de l'enfant-satyre*
Jean Hallal, *Les concevables interdits*
Jean Hallal, *Le temps nous*
Jean Hallal, *Le temps nous (Le songe de l'enfant-satyre, La tranche sidérale, Le temps nous)*
Jean Hallal, *La tranche sidérale*
Jean Hallal, Gilbert Langevin, *Les vulnérables*
Louis-Philippe Hébert, *Le petit catéchisme*
Gilles Hénault, *À l'écoute de l'écoumène*
Gilles Hénault, *À l'inconnue nue*
Alain Horic, *Blessure au flanc du ciel*
Alain Horic, *Les coqs égorgés*
Jean-Pierre Issenhuth, *Entretien d'un autre temps*
Michel Janvier, *L'œkoumène écorché vif*
Jaquemi, *Des heures, des jours, des années*
Monique Juteau, *La lune aussi...*
Jacques Labelle, *L'âge premier*
Guy Lafond, *Poèmes de l'Un*
Michèle Lalonde, *Défense et illustration de la langue québécoise* suivi de *Proses et poèmes*
Michèle Lalonde, *Métaphore pour un nouveau monde*
Michèle Lalonde, *Speak white*
Michèle Lalonde, *Terre des hommes*
Robert Lalonde, *Kir-Kouba*
Gilbert Langevin, *L'avion rose*
Gilbert Langevin, *La douche ou la seringue*
Gilbert Langevin, *Les écrits de Zéro Legel*
Gilbert Langevin, *Le fou solidaire*
Gilbert Langevin, *Griefs*
Gilbert Langevin, *Issue de secours*
Gilbert Langevin, *Les mains libres*
Gilbert Langevin, *Mon refuge est un volcan*
Gilbert Langevin, *Novembre* suivi de *La vue du sang*
Gilbert Langevin, *Origines*
Gilbert Langevin, *Ouvrir le feu*
Gilbert Langevin, *Stress*
Gilbert Langevin, Jean Hallal, *Les vulnérables*
René Lapierre, *Une encre sépia*
Gatien Lapointe, *Arbre-radar*
Gatien Lapointe, *Le premier mot* précédé de *Le pari de ne pas mourir*
Paul-Marie Lapointe, *Écritures*
Paul-Marie Lapointe, *Tableaux de l'amoureuse* suivi de *Une, unique, Art égyptien, Voyage & autres poèmes*
Paul-Marie Lapointe, *The Terror of the Snows*
Jean Larochelle, *Fougères des champs*
Jean Larochelle, *Lunes d'avril*
Raymond Leblanc, Jean-Guy Rens, *Acadie/expérience*
André Leclerc, *Journal en vers et avec tous*
André Leclerc, *Poussières-Taillibert*
Claude Leclerc, *Toi, toi, toi, toi, toi*
Michel Leclerc, *Écrire ou la disparition*
Michel Leclerc, *La traversée du réel* précédé de *Dorénavant la poésie*
Luc Lecompte, *Ces étirements du regard*

Luc Lecompte, *Les géographies de l'illusionniste*
Luc Lecompte, *La tenture nuptiale*
Jean Leduc, *Fleurs érotiques*
Dennis Lee, *Élégies civiles et autres poèmes*
Pierrot Léger, *Le show d'Évariste le nabord-à-Bab*
Isabelle Legris, *Sentiers de l'infranchissable*
Raymond Lévesque, *Au fond du chaos*
Raymond Lévesque, *On veut rien savoir*
André Loiselet, *Le mal des anges*
Andrée Maillet, *Élémentaires*
Mao Tsê-Tung, *Poésies complètes*
Alain Marceau, *À la pointe des yeux*
Olivier Marchand, *Crier que je vis*
Gilles Marsolais, *La caravelle incendiée* précédé de *Souillures et traces* et de *L'acte révolté*
Gilles marsolais, *Les matins saillants*
Gilles Marsolais, *La mort d'un arbre*
Robert Marteau, *Atlante*
Jean-Paul Martino, *Objets de la nuit*
Pierre Mathieu, *Ressac*
Yves Mongeau, *Les naissances*
Yves Mongeau, *Veines*
Pierre Morency, *Au nord constamment de l'amour*
Pierre Morency, *Effets personnels* suivi de *Douze jours dans une nuit*
Pierre Morency, *Torrentiel*
Lorenzo Morin, *L'arbre et l'homme*
Lorenzo Morin, *Le gage*
Lorenzo Morin, *L'il d'elle*
Pierre Nepveu, *Couleur chair*
Pierre Nepveu, *Épisodes*
Denys Néron, *L'équation sensible*
Georges Noël, *Poèmes des êtres sensibles*
Marie Normand, *Depuis longtemps déjà*
Yvan O'Reilly, *Symbiose de flashes*
Pierre Ouellet, *Sommes*
Fernand Ouellette, *À découvert*
Fernand Ouellette, *Les heures*
Fernand Ouellette, *Ici, ailleurs, la lumière*
Ernest Pallascio-Morin, *Les amants ne meurent pas*
Ernest Pallascio-Morin, *Pleins feux sur l'homme*
Yvon Paré, *L'octobre des Indiens*
Diane Pelletier-Spiecker, *Les affres du zeste*
Claude Péloquin, *Chômeurs de la mort*
Claude Péloquin, *Inoxydables*
Claude Péloquin, *Le premier tiers, œuvres complètes 1942-1975, vol. 1*
Claude Péloquin, *Le premier tier, œuvres complètes 1942-1975, vol. 2*
Claude Péloquin, *Le premier tiers, œuvres complètes 1942-1975, vol. 3*
Pierre Perrault, *Ballades du temps précieux*
Pierre Perrault, *En désespoir de cause*
Richard Phaneuf, *Feuilles de saison*
François Piazza, *Les chants de l'Amérique*
François Piazza, *L'identification*
Jean-Guy Pilon, *Poèmes 71, anthologie des poèmes de l'année au Québec*
Louise Pouliot, *Portes sur la mer*
Bernard Pozier, *Lost Angeles*
Yves Préfontaine, *Débâcle* suivi de *À l'orée des travaux*
Yves Préfontaine, *Nuaison*
Yves Préfontaine, *Pays sans parole*
Daniel Proulx, *Pactes*
Raymond Raby, *Tangara*
Luc Racine, *Les jours de mai*
Luc Racine, *Le pays saint*
Luc Racine, *Villes*
Jacques Rancourt, *Les choses sensibles*
Michel Régnier, *Les noces dures*
Michel Régnier, *Tbilisi ou le vertige*
Jean-Robert Rémillard, *Sonnets archaïques pour ceux qui verront l'indépendance*
Mance Rivière, *D'argile et d'eau*
Guy Robert, *Et le soleil a chaviré*
Guy Robert, *Québec se meurt*
Guy Robert, *Textures*
Claude Rousseau, *Poèmes pour l'œil gauche*
Claude Rousseau, *Les rats aussi ont de beaux yeux*
Jean-Louis Roy, *Les frontières défuntes*
Jean Royer, *Le chemin brûlé*
Jean Royer, *Depuis l'amour*
Jean Royer, *Faim souveraine*
Jean Royer, *Les heures nues*
Jean Royer, *La parole me vient de ton corps* suivi de *Nos corps habitables*
Daniel Saint-Aubin, *Voyages prolongés*
André Saint-Germain, *Chemin de desserte*
André Saint-Germain, *Sens unique*
Madeleine Saint-Pierre, *Émergence*
Madeleine Saint-Pierre, *Empreintes*
Sylvie Sicotte, *Infrajour*
Sylvie Sicotte, *Pour appartenir*
Sylvie Sicotte, *Sur la pointe des dents*
Maurice Soudeyns, *L'orée de l'éternité*
Maurice Soudeyns, *La trajectoire*
Julie Stanton, *À vouloir vaincre l'absence*
Julie stanton, *La nomade*

Nada Stipkovic, *Lignes*
Patrick Straram le Bison ravi, *Irish coffees au no name bar & vin rouge valley of the moon*
Machine Gun Susie, *La libération technique de Suzanne Francœur*
François Tétreau, *L'architecture pressentie*
Jean Thiercelin, *Demeures du passe-vent*
Alain Tittley, *Dans les miroirs de mon sang*
Louis Toupin, *Dans le blanc des yeux*
Gemma Tremblay, *Cratères sous la neige*
Gemma Tremblay, *Les seins gorgés*
Pierre Trottier, *La chevelure de Bérénice*
Suzy Turcotte, *De l'envers du corps*
Denis Vanier, *Comme la peau d'un rosaire*
Denis Vanier, *Je*
Michel van Schendel, *Autres, autrement*
Michel van Schendel, *Extrême livre des voyages*
Michel van Schendel, *Variations sur la pierre*
France Vézina, *Les journées d'une anthropophage*
Paul Zumthor, *Point de fuite*

COLLECTION RÉTROSPECTIVES

Michel Beaulieu, *Desseins*, poèmes 1961-1966
Réginald Boisvert, *Poèmes pour un homme juste*, 1949-1985
Nicole Brossard, *Le centre blanc*, poèmes 1965-1975
Nicole Brossard, *Double impression*, poèmes et textes 1967-1984
Yves-Grabriel Brunet, *Poésie I*, poèmes 1958-1962
Cécile Cloutier, *L'écouté*, poèmes 1960-1983
Juan Garcia, *Corps de gloire*, poèmes 1963-1988
Michel Gay, *Calculs*, poèmes 1978-1986
Louis Geoffroy, *Le saint rouge et la pécheresse*, poèmes 1963-1974
Roland Giguère, *L'âge de la parole*, poèmes 1949-1960
Jacques Godbout, *Souvenirs Shop*, poèmes et proses 1956-1980
Gérald Godin, *Ils ne demandaient qu'à brûler*, poèmes 1960-1986
Alain Grandbois, *Poèmes*, poèmes 1944-1969
Paul-Marie Lapointe, *Le réel absolu*, poèmes 1948-1965
Isabelle Legris, *Le sceau de l'ellipse*, poèmes 1943-1967
Olivier Marchand, *Par détresse et tendresse*, poèmes 1953-1965
Pierre Morency, *Quand nous serons*, poèmes 1967-1978
Fernand Ouellette, *En la nuit, la mer*, poèmes 1972-1980
Fernand Ouellette, *Poésie*, poèmes 1953-1971
Pierre Perrault, *Chouennes*, poèmes 1961-1971
Pierre Perrault, *Gélivures*, poésie
Alphonse Piché, *Poèmes*, poèmes 1946-1968
Yves Préfontaine, *Parole tenue*, poèmes 1954-1985
Jacques Renaud, *Les cycles du Scorpion*, poèmes et proses 1960-1987
Fernande Saint-Martin, *La fiction du réel*, poèmes 1953-1975
Michel van Schendel, *De l'œil et de l'écoute*, poèmes 1956-1976
Gemma Tremblay, *Poèmes*, poèmes 1960-1972
Pierre Trottier, *En vallées closes*, poèmes 1951-1986

COLLECTION PARCOURS

Claude Haeffely, *La pointe du vent*

ANTHOLOGIES

Lucien Francœur, *Vingt-cinq poètes québécois, 1968-1978*
Laurent Mailhot, Pierre Nepveu, *La poésie québécoise des origines à nos jours*
Jean Royer, *La poésie québécoise contemporaine*

CET OUVRAGE
COMPOSÉ EN TIMES 12 SUR 14
A ÉTÉ ACHEVÉ D'IMPRIMER
LE TROIS OCTOBRE
MIL NEUF CENT QUATRE-VINGT-ONZE
PAR LES TRAVAILLEURS ET TRAVAILLEUSES
DE L'IMPRIMERIE GAGNÉ
À LOUISEVILLE
POUR LE COMPTE DES
ÉDITIONS DE L'HEXAGONE.

IMPRIMÉ AU QUÉBEC (CANADA)